Saskia Hula

Ein Denkmal für Frau Hasenohr

Saskia Hula

Ein Denkmal für Frau Hasenohr

mit Illustrationen
von Susanne Göhlich

Obelisk Verlag

Bibliografische Information der Deutschen Nationalbibliothek
Die Deutsche Nationalbibliothek verzeichnet diese Publikation
der Deutschen Nationalbibliografie;
detaillierte bibliografische Daten sind im Internet
unter http://dnb.d-nb.de abrufbar.

Neue Rechtschreibung

Coverentwurf: Susanne Göhlich

Druck und Bindung: Druckerei Theiss, A-9431 St. Stefan

ISBN 978-385197-826-1

Auch als E-Book erhältlich
E-Book-ISBN: 978-3-85197-840-7

www.obelisk-verlag.at

1.

„Meine Lieben, hört gut zu!“, sagt Frau Hasenohr. „Ich muss euch etwas Wichtiges sagen!“

Wichtige Sachen sind gut, findet Noah. Besonders bei Frau Hasenohr.

Frau Hasenohrs wichtige Sachen sind Schulausflüge, bei denen man das Geld für ein Eis nicht vergessen soll. Oder Lesenächte, bei denen man ankreuzen muss, welche Pizza man am liebsten isst. Oder Sommerfeste mit Tombola. Oder Theateraufführungen, bei denen man die Hauptrolle spielen darf. Oder …

„Noah?“, sagt Frau Hasenohr. „Hörst du mir zu?“

Noah nickt. Klar hört er zu. Wenn es doch etwas Wichtiges ist!

„Das ist also Frau Milano “, sagt Frau Hasenohr und zeigt auf die fremde Frau neben sich. „Sie ist neu bei uns an der Schule!“

Ach so, denkt Noah. Dann ist es also doch nicht so besonders wichtig, jedenfalls nicht für ihn. Denn er hat ja Frau Hasenohr, da interessieren ihn die anderen Lehrer nicht. Frau Hasenohr hat er schon seit der ersten Klasse, und er hat da wirklich Glück gehabt. Frau Hasenohr ist nämlich die netteste Lehrerin in der ganzen Schule, eindeutig!

„Frau Milano kann ganz toll Klavier spielen“, sagt Frau Hasenohr. „Wenn wir Glück haben, spielt sie uns nachher etwas vor. Und Gitarre spielen kann sie auch. Stimmt’s, Frau Milano?“ Die neue Lehrerin lächelt und nickt.

„Ihr könnt aber Jule zu mir sagen", meint sie. „Das ist mir lieber. Sonst komme ich mir so furchtbar alt vor."

Aha, denkt Noah, Jule. Komischer Name. Aber wie eine Frau Milano sieht sie wirklich nicht aus.

Eigentlich sieht Jule nicht einmal richtig erwachsen aus, und schon gar nicht wie eine echte Lehrerin. Ihre Haare hat sie in ganz viele kleine Zöpfchen geflochten. Das muss vielleicht lang gedauert haben! Und an jedem Zöpfchen hängen bunte Perlen, die klimpern, wenn sie sich bewegt.

In der Nase hat sie einen kleinen Stein aus Silber. Und auf ihrem roten T-Shirt steht ganz groß: „Ich kann auch nett sein".

Nein, denkt Noah, so sehen Lehrerinnen normalerweise nicht aus.

„Sogar ein bisschen zaubern kann sie", sagt Frau Hasenohr. „Und zu Hause hat sie einen großen Hund. Wie heißt der doch gerade wieder?"

„Onkel Tobi", sagt Jule. „Er ist ein Bernhardiner. Vielleicht bringe ich ihn ja einmal mit in die Schule. Dann könnt ihr ihn sehen."

Noah gähnt. Er mag Hunde gern, aber so großartig findet er das nun auch wieder nicht, wenn jemand einen Hund hat und ihn vielleicht irgendwann einmal mitbringt!

Überhaupt sind Bernhardiner nicht gerade Noahs Lieblingshunde. Die sind ihm zu groß und zu schwer. Außerdem sehen sie so verschlafen aus.

Wenn Noah sich einen Hund aussuchen dürfte, dann wäre das ein kleiner schwarzer mit seidigem Fell und Hängeohren. So einer wie auf dem

Bauernhof in der Steiermark, wo Noah im Sommer auf Urlaub war. Der war vielleicht süß!

Benni hat er geheißen. Er war erst sechs Monate alt und hat immer gleich seinen Ball angeschleppt, wenn er Noah gesehen hat, weil er unbedingt mit ihm spielen wollte!

Ja, genau so einen Hund würde sich Noah aussuchen, wenn er könnte. Aber er darf natürlich keinen eigenen Hund haben, nicht einmal einen kleinen.

Warum, weiß er auch nicht so genau. Wo er sich doch so gut um den Hund kümmern würde. Was für ein Jammer!

„Das wäre es also“, sagt Frau Hasenohr. „Ihr werdet euch sicher gut mit Jule verstehen. Und ich hoffe, ihr seid bei ihr genauso brav wie bei mir!“

Noah horcht auf. Was soll denn das jetzt? Hat er etwas verpasst?

Fährt Frau Hasenohr schon wieder auf Kur?

Aber da war sie doch gerade erst! Drei lange Wochen!

Noah war so froh gewesen, als sie endlich wieder da war. Die Vertretungslehrerin hat ihnen immer so blöde Hausaufgaben gegeben, an denen Noah den halben Nachmittag gesessen ist.

Und die Pausen waren auch viel kürzer. Und mit dem Ball durften sie in der Klasse nicht spielen, weil dabei etwas kaputt gehen könnte.

Und einmal hat sie Noah furchtbar angeschrien, nur weil er gerade …

„Noah“, sagt Frau Hasenohr. „Möchtest du Jule vielleicht zeigen, wo wir unsere Turnsachen haben? Es wird Zeit, in den Turnsaal zu gehen. Und wir sollten uns auch beeilen, Jule möchte euch ein neues Ballspiel beibringen.“

Noah nickt und steht auf. Dann zeigt er Jule eben den Korb mit den Turnsachen, das ist wirklich keine große Sache.

Aber wofür eigentlich? Und warum geht die überhaupt mit in den Turnsaal? Hat sie keine eigene Klasse, um die sie sich kümmern kann?

Ein neues Ballspiel, pah, wozu denn das? In den letzten Wochen haben sie immer Planetenball gespielt, das war richtig lustig, und wenn es nach Noah ginge, …

„Noah? Wohin gehst du?", fragt Frau Hasenohr.

Noah schaut auf.

Hoppla, da ist er doch wirklich in die falsche Richtung gegangen, vor lauter Nachdenken! Die Turnsackerln sind doch auf der anderen Seite.

Aber wie war das jetzt mit der Kur? Das muss er Frau Hasenohr unbedingt noch fragen.

2.

Nach der Turnstunde ist große Pause. Jule ist immer noch da.

Sie spielt mit ein paar Kindern Memory.

Wenn sie lacht, wippen ihre bunten Zöpfchen auf dem Rücken. Und sie lacht ziemlich oft. Als ob Memory so lustig wäre!

Frau Hasenohr sitzt an ihrem Schreibtisch und isst ein Salamibrot. Sonst hat sie gerade nichts zu tun.

Das ist sehr selten und das muss man ausnützen, findet Noah und pirscht sich unauffällig von hinten an sie heran.

„War es schön auf der Kur?“, fragt er.

Frau Hasenohr sieht ihn erstaunt an.

„Ach, Noah, das hab ich euch doch schon erzählt, wie das dort ist! Jeden Tag Wassergymnastik und Heilgymnastik und Rückengymnastik! Schlammbäder und Moorbäder und Kräuterbäder.

Und dann auch noch diese unsägliche Schonkost!“

„Was ist Schonkost?“, fragt Noah, obwohl er es natürlich längst weiß, weil Frau Hasenohr das wirklich schon oft erzählt hat. Aber er mag es trotzdem noch einmal hören.

Frau Hasenohr verzieht das Gesicht.

„Schonkost ist, wenn man alles weglässt, was gut schmeckt. Also Salz und Zucker und Butter ...“

„Und Pizza? Und Eis? Und Chips?“

„Genau.“ Frau Hasenohr seufzt. „Das ist Schonkost.“

„Dann fahren Sie sicher nie wieder auf Kur“, sagt Noah zufrieden.

Frau Hasenohr lacht.

„Wenn es nach mir geht, nicht“, sagt sie und beißt in ihr Salamibrot.

„Und warum ist dann Jule da?“, fragt Noah. „Die brauchen wir doch gar nicht.“

Frau Hasenohr runzelt die Stirn. „Hast du mir nicht zugehört, Noah?“

„Doch, natürlich!“

„Und was habe ich gesagt?“

„Lauter Sachen über Jule. Dass sie Klavier spielen kann. Und Gitarre. Und dass sie einen Hund hat, der Onkel Tobi heißt! Einen Bernhardiner. Und dass sie ihn vielleicht einmal mitbringt.“

Noah schaut Frau Hasenohr triumphierend an. Das hätte sie wohl nicht gedacht, dass er sich alles gemerkt hat, was?

„Stimmt“, sagt Frau Hasenohr. „Das war der Anfang. Danach habe ich euch erklärt, wie das mit meinem Herzen ist. Dass ich mich operieren lassen muss und dass ich nachher ganz viel Ruhe brauche. Dass ich sowieso schon zu alt bin zum Unterrichten. Und dass ihr deswegen Jule als Klassenlehrerin bekommt, ab Februar. Das habe ich auch noch gesagt, mein Kleiner. Aber da warst du in Gedanken wohl schon woanders."

Sie schüttelt den Kopf und strubbelt Noah durch die Haare.

Wie bitte? Noah wird heiß.

Wieso zu alt? Und was ist mit ihrem Herz? Wann hat sie das alles erklärt? Und Jule kann doch nicht einfach ...

„Ab Februar?", sagt er schwach. „Aber so alt sind Sie doch gar nicht!"

„Alt genug", seufzt Frau Hasenohr. „Es wird einfach Zeit für mich kürzer zu treten. Und ihr werdet sehen, mit einer jungen Lehrerin habt ihr es viel lustiger als mit mir alter Tante!"

Noah spürt, wie ihm die Tränen in die Augen steigen.

Er will keine junge lustige Lehrerin! Er will Frau Hasenohr behalten!

Und sie ist überhaupt keine alte Tante! Sie ist nur einfach gerade richtig!

„Na, na“, sagt Frau Hasenohr und legt ihm den Arm um die Schulter. „Noch bin ich ja nicht weg. Ich bleibe bis Ende Jänner, das hab ich doch gesagt. Bis dahin sind es noch ganze drei Wochen! Und dann machen wir ein großes Abschiedsfest, ja? Und danach komme ich euch besuchen, denn dann habe ich sowieso nichts mehr zu tun und werde mich den ganzen Tag langweilen … Was hältst du davon, Noah?“

Noah zuckt mit den Schultern.

Wenn er jetzt etwas sagt, fängt er an zu weinen, und das will er auf gar keinen Fall. Nicht mitten in der Klasse, wo alle anderen mit Jule Memory spielen und es lustig haben und sich keiner darüber kränkt, dass Frau Hasenohr nur mehr drei Wochen …

„Noah?“ Frau Hasenohr schaut ihm in die Augen. „Wie findest du das mit dem Abschiedsfest? Machen wir das?“

Sie beugt sich ganz nah zu ihm.

„Damit ich etwas habe, auf das ich mich freuen kann“, sagt sie leise. „In Wirklichkeit würde ich nämlich auch lieber bei euch bleiben, verstehst du? Wenn ich es mir aussuchen könnte.“

Noah nickt steif. Klar würde sie lieber bleiben, die arme Frau Hasenohr. Wo sie es doch so schön miteinander haben.

Zu jedem Geburtstag gibt es Torte, die das Geburtstagskind mitbringt. Und Frau Hasenohr liebt doch Torte. Vor allem Schokoladentorte. Und jetzt muss sie womöglich ihr ganzes Leben lang Schonkost essen und kann nie wieder Planetenball spielen.

„Wir können Pizza bestellen“, sagt Noah und blinzelt seine Tränen weg. „Und Chips mitbringen. Und Schokoladentorte.“

Frau Hasenohr lächelt.

„Ja, genau. So habe ich mir das vorgestellt.“

3.

Drei Wochen sind wirklich nicht lang.

Drei Wochen sind nur fünfzehn Schultage und damit auch nur fünfzehn große Pausen, in denen man in der Klasse Ball spielen darf.

Drei Wochen sind nur neun Turnstunden, in denen man höchstens drei Mal Planetenball spielt, weil man dazwischen ja auch Reck turnen muss!

Drei Wochen sind nur drei Vorlesestunden, in denen sich nicht einmal ein ganzes Buch mehr ausgeht, jedenfalls kein langes.

Drei Wochen sind besonders dann nicht lang, wenn man ein Abschiedsfest planen muss, und zwar ein ganz besonderes mit einem ganz besonderen Abschiedsgeschenk, von dem man leider noch gar nicht weiß, was es sein könnte.

„Wie wäre es mit einem Buch?“, fragt Noahs Mama. „Über ein Buch freut sich doch jeder.“

Noah verzieht das Gesicht.

Erstens freut sich überhaupt nicht jeder über ein Buch, und zweitens hat Frau Hasenohr schon mindestens fünfhundert Bücher. Sonst könnte sie ja nicht immer aus einem neuen vorlesen.

„Doch kein Kinderbuch“, sagt Mama „Ich meine einen Roman für Erwachsene. Du weißt schon, eine Liebesgeschichte oder einen Krimi.“

Hm. Dazu kann Noah nichts sagen. Er hat jedenfalls noch nie gesehen, dass Frau Hasenohr eine Liebesgeschichte gelesen hätte. Und einen Krimi auch nicht.

„Oder einen Korb mit Wolle“, schlägt Mama vor. „Falls sie gerne strickt.“

Noah schüttelt den Kopf. Sicher strickt Frau Hasenohr überhaupt nicht gern. Stricken ist total langweilig.

„Eine schöne Vase“, schlägt Mama vor. „Oder einen Kerzenständer. Ein paar dicke Socken? Ein Brillenetui! Oder eine Topfpflanze.“

Aber was immer Mama auch sagt, nichts davon gefällt Noah.

„Was würdest du ihr denn gern schenken?“, fragt Mama schließlich.

Noah zuckt mit den Schultern.

„Vielleicht bastelst du ihr einfach etwas“, sagt die Mama. „Dann ist es ein ganz persönliches Geschenk. Und das freut sie ganz sicher.“

Noah seufzt tief.

Basteln, das klingt jetzt auch nicht gerade nach dem besten Abschiedsgeschenk der Welt.

4.

Immerhin sind drei Wochen lang genug für einen Lehrausgang, und zwar zur Feuerwehr.

Für Noah ist das der beste Lehrausgang überhaupt, weil er ja Feuerwehrmann werden möchte. Und jetzt kann er endlich einmal mit einem echten Feuerwehrmann reden.

Außerdem dürfen alle Kinder einen Feuerwehrhelm aufsetzen und die Stange hinunterrutschen, die vom ersten Stock in die Garage führt.

Und ganz am Schluss dürfen sie sich sogar in den Korb der langen Drehleiter stellen und werden ganz hoch in die Luft gehoben! Das ist das Allerbeste!

Frau Hasenohr bleibt unten stehen und winkt ihnen zu. Sie schaut dabei sehr zufrieden aus.

Ob man ihr etwas Feuerwehrmäßiges schenken könnte? Einen Feuerlöscher? Oder so ein kleines Feuerwehrauto? Oder einen Schlauch?

Zur Not könnte Noah ihr auch einen Feuerwehrhelm basteln, aus dem alten Ritterhelm, den er zu Hause hat ...

„Noah?“, fragt Frau Hasenohr und wedelt mit der Hand vor Noahs Augen herum. „Kommst du bitte? Wir müssen gehen.“

Noah seufzt. Wenn er nur endlich eine gute Idee hätte!

Am Rückweg gehen sie durch den Stadtpark.

Sie bleiben beim Ententeich stehen und schauen den Enten zu.

Am Spielplatz klettern sie alle auf die riesige Kletterspinne, und Frau Hasenohr macht ein Foto von der ganzen Klasse.

Ein Abschiedsfoto, denkt Noah und seufzt schon wieder. So viel geseufzt hat er in seinem ganzen Leben noch nicht!

Bei jedem Denkmal, an dem sie vorbeikommen, bleibt Frau Hasenohr stehen und erzählt ihnen etwas über berühmte Musiker und Maler und Erfinder.

„Warum sind eigentlich immer nur Männer auf

den Denkmälern?", fragt Valerie. „Es gibt doch auch berühmte Frauen! Haben die denn keine Denkmäler?"

„Gute Frage", sagt Frau Hasenohr. „Natürlich gibt es auch berühmte Frauen, und es gibt auch Denkmäler für sie. Aber du hast Recht, Valerie: Es gibt viel mehr Denkmäler für Männer. Hat jemand eine Idee, warum das so ist?"

Sie schaut auffordernd in die Runde.

„Weil Männer gescheiter sind", sagt Camillo und bekommt dafür einen Tritt von Valerie.

„Das würde mich wundern", sagt Frau Hasenohr und lacht. „In der Klasse habe ich jedenfalls noch nichts davon bemerkt."

„Weil Männer sich mehr ausgedacht haben", sagt Benni.

Frau Hasenohr legt den Kopf schief. So richtig gefällt ihr diese Antwort auch nicht.

„Weil früher nur Männer einen Beruf gehabt haben?", fragt Valerie.

„Genau!" Frau Hasenohr nickt. „Frauen hatten lange Zeit gar nicht die Möglichkeit, etwas zu lernen. Bis vor etwa hundert Jahren durften Frauen nicht einmal studieren, stellt euch das einmal vor!"

Die Mädchen schütteln empört die Köpfe.

Noah findet das jetzt nicht so wahnsinnig schlimm. Vor hundert Jahren, das ist doch schon ewig her. Darüber kann man sich doch jetzt nicht mehr aufregen.

Heute dürfen Frauen ganz bestimmt studieren, das weiß Noah zufällig, weil nämlich seine Kusine Sara gerade damit angefangen hat. Sie will Tierärztin werden, und das ist sehr gut. Denn wenn Noah endlich seinen schwarzen Hund mit den Schlappohren bekommt, ist sie vielleicht schon mit dem Studieren fertig, und dann kann er mit dem Hund zu ihr in die Tierarztpraxis gehen. Das ist sicher schön. Und vielleicht auch ein bisschen billiger, denn Papa sagt immer, allein an die Tierarztkosten darf er gar nicht denken.

„Noah?", sagt Frau Hasenohr. „Kennst du vielleicht eine berühmte Frau?"

Noah schüttelt den Kopf. Muss man ja auch

nicht, wenn sowieso auf allen Denkmälern Männer sind.

„Da haben wir's", sagt Frau Hasenohr und schnalzt missbilligend mit der Zunge. „Es wird höchste Zeit, dass sich das ändert!"

Sie schaut die Mädchen aufmunternd an.

„Vielleicht bekommt ja eine von euch einmal ein Denkmal? Das wäre doch toll!"

Die Mädchen beginnen zu johlen.

„Ja, ich!“, ruft Rebecca. „Ich will sowieso Schauspielerin werden!“

„Und ich Sängerin!“, ruft Manuela.

„Und ich Supermodel“, ruft Vanessa.

Frau Hasenohr lacht.

„Für Supermodels gibt es, fürchte ich, keine Denkmäler. Da müsst ihr schon Wissenschaftlerinnen werden. Oder Künstlerinnen.“

Noah verzieht den Mund. Er würde wetten, dass weder Rebecca noch Manuela oder Vanessa je ein Denkmal bekommen, dazu sind die viel zu dumm.

Ein Denkmal sollten überhaupt nur richtig tolle Menschen bekommen, findet er. Ganz besondere Menschen. Menschen wie Frau Hasenohr!

Und auf einmal weiß Noah, was sein Abschiedsgeschenk für Frau Hasenohr sein wird …

5. 

Oh, wie wird sich Frau Hasenohr freuen! Ein Denkmal für sie, mitten im Schulhof!

Und dann ist es ja auch noch ein Denkmal für eine Frau. Das wird sie besonders freuen!

Noah ist ganz aufgeregt, als sie zurück in die Schule kommen.

„Wir haben noch eine halbe Stunde Zeit“, sagt Frau Hasenohr. „Jeder darf sich ein Buch aus dem Regal holen und leise lesen.“

Noah weiß sofort, welches Buch er will.

Er holt sich das Kinderlexikon und schlägt es bei D auf. D wie Denkmal.

Da steht genau beschrieben, wie man ein Denkmal macht.

Leider ist das aber gar nicht so einfach, das merkt Noah gleich. Die meisten Denkmäler sind nämlich aus Stein.

Dazu braucht man erstens einen riesengroßen

Stein, den kein Mensch allein schleppen kann.

Und zweitens muss man den Stein mit speziellen Werkzeugen bearbeiten und alles weghämmern, was nicht zum Denkmal gehört. Das schaut auch ziemlich schwierig aus.

Dafür hält der Stein ewig. Tausend Jahre und noch länger, wenn es sein muss. Und kaputt machen kann man ihn auch nicht. Und stehlen auch nicht. Weil er ja so schwer ist ...

Noah blättert unschlüssig weiter im Kinderlexikon.

Wo soll er so einen riesengroßen Stein herbekommen? Und wie soll er aus dem Stein Frau Hasenohr heraushämmern?

Ob man nicht auch etwas anderes für das Denkmal nehmen kann? Holz? Styropor? Oder Gips?

Die Knetmasse in seinem Bastelset fällt ihm ein. Daraus könnte er Frau Hasenohr kneten.

Sie wäre dann allerdings höchstens so groß wie ein Meerschweinchen. Und sie soll doch mitten auf dem Schulhof stehen und von allen gesehen werden, für die nächsten hundert Jahre oder so!

Da muss ihr Denkmal schon mindestens genauso groß sein wie Frau Hasenohr selbst.

„Bist du fertig?“ Valerie steht neben ihm und zeigt auf das Kinderlexikon. „Du liest ja gar nicht!“

„Klar lese ich“, sagt Noah. „Ich lese und ich denke nach. Und überhaupt hab ich es zuerst gehabt und kann es behalten, so lange ich will.“

Er schlägt das Kinderlexikon zu und zieht es näher zu sich.

Valerie verdreht die Augen.

„Jetzt gib schon her! Ich muss nur etwas nachschauen!“

Sie nimmt ihm das Kinderlexikon aus der Hand und beginnt zu blättern.

Sie blättert bis zum D. D wie Denkmal.

„Hm“, murmelt sie. „Ganz schön schwierig.“

„Was denn?“, fragt Noah. Eine dumpfe Ahnung steigt in ihm auf.

„Ein Denkmal bauen“, sagt Valerie. „Man braucht einen riesigen Stein und dann ...“

Noah wird heiß.

„Was willst du denn mit einem Denkmal?“

„Na, was wohl“, sagt Valerie. „Ich will eines aufstellen. Oder besser gleich mehrere. Es ist einfach ungerecht, dass so viele Männer ein Denkmal haben und so wenige Frauen!“

„Aha.“ Noah hat auf einmal einen ganz trockenen Mund. „Aber für wen …?

Valerie zuckt mit den Schultern.

„Ist doch egal. Irgendwelche berühmten Frauen werde ich schon finden.“

Sie blättert schon wieder durch das Kinderlexikon.

„Da!“, ruft sie und zeigt auf ein Bild von Kleopatra. „Die wäre doch gut, oder?“

Noah schüttelt den Kopf.

„Das war eine Ägypterin.“

„Na und?“

„Ihr Denkmal muss in Ägypten stehen, ist doch logisch!“

Valerie blättert weiter.

„Dann eben die“, sagt sie und deutet auf ein Bild.

„Kaiserin Maria Theresia“, liest sie vor. „Die ist super!“

„Die hat schon ein Denkmal“, sagt Noah. „Ein ganz riesiges.“

Valerie schaut ihn misstrauisch an.

„Ach so?“

„Ja“, sagt Noah. „Es steht genau vor dem Naturhistorischen Museum. Ich war da schon ganz oft mit meinem Opa.“

„Na und?“, sagt Valerie. „Dann nehme ich eben eine andere Frau.“

„Gute Idee“, sagt Noah. „Aber im Kinderlexikon wirst du sie nicht finden.“

„Und warum nicht?“

„Wenn sie so berühmt ist, dass sie im Lexikon steht, dann hat sie auch schon ein Denkmal“, sagt

Noah und findet sich selbst sehr schlau. „Ist doch logisch."

Valerie kneift die Augen zusammen.

„Aber wenn sie nicht berühmt ist, braucht sie kein Denkmal", sagt sie unzufrieden.

Noah nickt.

Eigentlich ist Valerie ganz nett. Und geschickt ist sie, das weiß er aus dem Werkunterricht.

Valerie ist bei allen Werkstücken die Schnellste, und gute Einfälle hat sie auch. Sie hat die beste Kugelbahn gebaut und die stabilste Brücke und das coolste Auto …

„Warte!", sagt Noah, weil Valerie nämlich gerade gehen will. „Ich habe eine Idee. Du brauchst eine Frau, die noch nicht berühmt ist. Die aber berühmt sein sollte!"

„Aha", sagt Valerie. „Und woher soll ich die nehmen?"

„Ich weiß jemanden", sagt Noah.

Valerie reißt die Augen auf.

„Eine Frau?"

„Mhm."

„Die berühmt sein sollte?“

„Ja.“

„Und die noch kein Denkmal hat?“

„Genau.“

Valerie zieht ihren Stuhl heran und setzt sich neben Noah.

„Und wer ist das?“

Noah zögert. „Das ist geheim“, sagt er.
„Geheim? Wozu denn das?“
„Weil es eine Überraschung sein soll.“
„Aha“, sagt Valerie. „Und wer soll dann das Denkmal bauen, wenn es so geheim ist?“
„Ich“, sagt Noah. „Aber du kannst mir helfen.“

6. 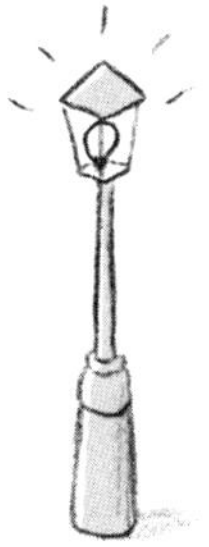

Am Nachmittag treffen sich Noah und Valerie im Park. Das ist unauffällig, weil Kinder nun mal gerne in den Park gehen.

Zum Glück sind keine anderen Kinder da, was allerdings kein Wunder ist, weil nämlich ein eiskalter Wind durch den Park fegt und alle normalen Menschen bei so einem Wetter lieber zu Hause bleiben.

„Jetzt sag schon“, drängt Valerie. „Wer ist die Frau?“

„Frau Hasenohr“, sagt Noah und schaut Valerie sehr bestimmt an. „Sie soll ein Denkmal im Schulhof bekommen.“

„Frau Hasenohr?“

Valerie schüttelt den Kopf. Aber immerhin denkt sie darüber nach.

„Naja“, sagt sie, während sie den Kopf schüttelt, und „Warum eigentlich nicht?“

Und schließlich, als sie genug ihren Kopf geschüttelt hat, sagt sie: „Na gut. Von mir aus."

„Super", sagt Noah. „Dann fangen wir am besten gleich an. Das erste Problem ist: Woraus machen wir das Denkmal? Aus Stein? Oder aus Holz?"

„Quatsch!" Valerie schnaubt. „Das schaffen wir doch nie."

„Aber was nehmen wir dann?"

Noah merkt, wie er mutlos wird.

„Eine Schaufensterpuppe natürlich", sagt Valerie. „Das hab ich mir längst alles überlegt. Eine Schaufensterpuppe schaut aus wie ein Mensch, ist so groß wie ein Mensch, und tragen können wir sie auch."

„Wie ein Mensch schaut sie vielleicht aus", sagt Noah. „Aber wie Frau Hasenohr wirklich nicht!"

„Das sind Kleinigkeiten", antwortet Valerie. „Jedenfalls schaut eine Schaufensterpuppe Frau Hasenohr ähnlicher als ein riesiger Stein, oder?"

Noah schweigt. Eigentlich findet er das nicht. Frau Hasenohr hat eher die Figur von einem Stein als die von einer Schaufensterpuppe …

„Das kriegen wir schon hin“, sagt Valerie. „Wir können sie ja auspolstern! Das ist überhaupt kein Problem!“

Aber das Gesicht, will Noah sagen. Das können wir nicht auspolstern! Das muss doch nett und freundlich aussehen. Das muss doch dieses liebe Lächeln von Frau Hasenohr haben und ihre roten Backen!

Aber das sagt er nicht. Weil er nämlich selbst auch keine bessere Idee hat. Und weil sie die Schaufensterpuppe wenigstens tragen können.

„Und woher bekommen wir eine Schaufensterpuppe?“, fragt er stattdessen. „Hast du vielleicht eine zu Hause?“

Valerie grinst.

„Zufälligerweise ja. Meine Mama ist Schneiderin. Und ihre Kleider zieht sie immer zuerst einer Schaufensterpuppe an. Gut, nicht?“

Aha, jetzt versteht Noah auch, warum Valerie auf die Idee gekommen ist. Und warum sie die Idee so toll findet.

„Also gut“, sagt er widerstrebend. „Und wie wird daraus Frau Hasenohr?“

„Ganz einfach“, sagt Valerie. „Wir brauchen ein paar Sachen von ihr. Typische Sachen, die jeder kennt. So wie ihre bunte Mütze.“

„Die rot-grün-geringelte?“

„Ja, genau die. Oder ihr lila Halstuch. Die graue Strickweste. Und ihre Brille.“

„Aber die können wir ihr doch nicht einfach wegnehmen?“

„Können wir nicht?“ Valerie grinst. „Müssen wir aber! Sonst wird aus der Schaufensterpuppe keine Frau Hasenohr, ist doch logisch.“

Noah nagt an seiner Unterlippe.

Dieser Plan gefällt ihm überhaupt nicht.

Sicher wird sich Frau Hasenohr wundern, wenn alle ihre Sachen verschwinden. Sie wird sie überall suchen und die Kinder fragen,

ob sie nicht vielleicht ihre Brille gesehen hätten. Und dann soll Noah Nein sagen? Unmöglich!

„Jetzt sei nicht so“, sagt Valerie. „Frau Hasenohr sucht ihre Sachen doch sowieso ständig. Es wird ihr also gar nicht groß auffallen.“

7.

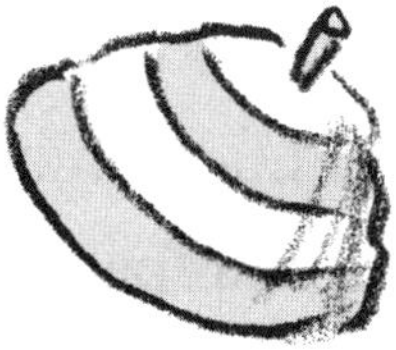

In den nächsten Tagen sind Noah und Valerie damit beschäftigt, Frau Hasenohrs Sachen unauffällig zur Seite zu schaffen.

Die rot-grün-geringelte Mütze ist einfach.

Die lässt Frau Hasenohr immer an der Garderobe hängen, wenn es draußen zu warm für eine Mütze ist. Und am nächsten Tag weiß sie dann nicht mehr ganz genau, ob sie die Mütze zu Hause oder in der Schule gelassen hat.

„Na so etwas“, sagt sie. „ Ich war so sicher, dass sie hier am Haken hängt! Mein Gedächtnis ist auch nicht mehr das, was es einmal war. Höchste Zeit, dass ich mich zur Ruhe setze!“

Oje, denkt Noah. Jetzt glaubt sie das auch noch wirklich! Dabei ist ihr Gedächtnis locker gut genug für die Schule. Denn in Wirklichkeit vergisst Frau Hasenohr fast gar nichts.

Sie weiß genau, wem sie welche Hausübung

gegeben hat und wer noch die 2€ für den Ausflug bringen muss, wer ihr die Unterschrift noch nicht gezeigt hat und wem sie noch seinen Impfpass …

„Noah?“ Valerie stößt ihn an. „Kommst du endlich? Wir gehen in den Werkraum und du hast noch nicht einmal deinen Werkkoffer in der Hand!“

Noah nickt und geht zum Regal mit dem Werkkoffer.

Immerhin haben sie jetzt die Mütze ...

Das lila Halstuch zieht Valerie am nächsten Tag heimlich aus Frau Hasenohrs Handtasche, als die gerade nicht herschaut.

Es dauert auch gar nicht lange, und Frau Hasenohr sucht es schon.

„Hat jemand von euch mein Halstuch gesehen?“, fragt sie verwundert.

Alle Kinder schütteln den Kopf, auch Valerie.

Nur Noah schaut angestrengt in sein Buch und tut so, als würde er etwas sehr, sehr Spannendes lesen.

„So ein Jammer“, sagt Frau Hasenohr. „Wenn es nicht in meiner Tasche ist, muss es mir auf der

Straße herausgefallen sein. Dabei war es mein Lieblingshalstuch! Und gerade heute könnte ich das Halstuch gut gebrauchen!“

Sie hüstelt und zieht ein Taschentuch aus der Tasche, um sich die Nase zu putzen.

Wenn sie nur nicht krank wird, denkt Noah. So ganz ohne Halstuch!

Aber jetzt ist es zu spät. Das Halstuch liegt bereits ganz unten in Valeries Schultasche. Und Frau Hasenohr muss den ganzen Vormittag ohne Halstuch auskommen, egal wie stark sie hustet.

Bei jedem Husten spürt Noah einen Stich im Herz.

Am dritten Tag ist die graue Strickjacke dran. Die ist sehr schwierig, weil sie so groß ist. Man kann sie nicht einfach so mir nichts dir nichts in der Schultasche verschwinden lassen.

„Du musst sie ablenken“, flüstert Valerie. „Am besten du lockst sie hinaus auf den Gang und ich schnappe die Jacke und stecke sie in einen Sack.“

„In was für einen Sack denn?“, flüstert Noah zurück.

Die ganze Sache gefällt ihm nicht.

„Und wie soll ich sie auf den Gang locken? Da ist doch nichts!“

„Um den Sack kümmere ich mich schon“, antwortet Valerie. „Und für den Gang musst du dir halt was ausdenken. Du bist doch sonst nicht so lahm!“

Na herzlichen Dank, denkt Noah. Was soll denn das wieder heißen? Und überhaupt: Was hat das mit lahm zu tun, wenn man es blöd findet, seiner liebsten Lehrerin ihre liebsten Sachen zu klauen? Als ob es so einfach wäre, Frau Hasenohr auf den Gang zu locken! Wo sich doch Frau Hasenohr überhaupt nicht …

„Noah?“, fragt Frau Hasenohr. „Kannst du mir kurz helfen, die Waage und die Gewichte zurück ins Lehrerzimmer zu tragen?“

Noah seufzt. Klar hilft er Frau Hasenohr. Auch wenn er es gerade jetzt gar nicht so gut findet, dass sie aus der Klasse geht und ihre graue Strickjacke ganz allein zurück lässt!

Aber was soll er schon sagen?

Er kann ja Valerie schlecht verraten.

Also nimmt Noah die Waage und trägt sie ins

Lehrerzimmer und Frau Hasenohr geht mit den Gewichten hinterher.

Die Arme! Sie plaudert fröhlich vor sich hin und hat nicht die geringste Ahnung von dem, was da hinter ihrem Rücken passiert. Aber immerhin hustet sie heute nicht mehr.

Als Noah und Frau Hasenohr zurückkommen, ist die Strickjacke weg.

Der Sessel, auf dem sie gehangen ist, ist leer. So leer, dass man sofort sieht, dass da etwas fehlt.

Dafür steht neben Valeries Platz ein großer Sack, der gerade eben noch nicht da war. Und der auch nicht so aussieht, als würde er hierher gehören.

Jeder kann das sehen! Nur Frau Hasenohr sieht es offenbar nicht, denn sie setzt sich zufrieden hin und packt ihr Pausenbrot aus.

„Vielen Dank, Noah“, schnauft sie. „Geh jetzt ruhig spielen.“

Noah schlendert zu den anderen Kindern hinüber.

Ein paar von ihnen spielen Memory, da könnte er mitspielen.

Vielleicht sollte er auch mit Sven und Josef an der Eisenbahn weiterbauen?

Noah schaut sich um.

Anton zieht gerade das Zahlenklappspiel aus dem Regal. Das wäre natürlich auch ...

„Jetzt noch die Brille“, zischt Valerie in Noahs Ohr. „Die legt sie sowieso dauernd irgendwo hin. Wir müssen sie nur im richtigen Moment einstecken, das ist ein Klacks!“

Noah schüttelt unwillig den Kopf.

„Die Brille brauchen wir heute noch gar nicht“, sagt er. „Die können wir doch morgen nehmen. Oder übermorgen.“

Aber Valerie bleibt hart.

„Morgen ist es zu spät. Wir müssen heute ausprobieren, ob wir genug haben!“

„Und wenn nicht?“, fährt Noah sie an. „Was willst du ihr denn noch alles wegnehmen für das blöde Denkmal?“

Valerie geht einen Schritt zurück und kneift die Augen zu.

„Das blöde Denkmal?“, fragt sie ganz langsam.

„Was soll das denn heißen? Du wolltest doch unbedingt ein Denkmal für Frau Hasenohr oder etwa nicht?“

Sie funkelt ihn zornig an.

Noah zuckt mit den Schultern. Klar wollte er. Nur jetzt will er eben nicht mehr so richtig.

„Na also“, sagt Valerie. „Wir schnappen uns heute noch die Brille. Am Nachmittag bauen wir das Denkmal. Und dann sehen wir weiter. Alles klar?“

Noah nickt schwach.

Also gut. Dann eben am Nachmittag.

8.

Das Denkmal ist fertig. Es steht im Arbeitszimmer von Valeries Mama. Es sieht aus wie eine halb angezogene Schaufensterpuppe mit Brille und einem Polster am Bauch.

Und genau das ist es ja auch.

„Eine Hose brauchen wir natürlich noch“, sagt Valerie. „Aber die muss ja nicht unbedingt von Frau Hasenohr sein.“

Na super, denkt Noah. Das wäre ja noch schöner, wenn sie Frau Hasenohr auch noch die Hose klauen müssten!

„Wir nehmen einfach eine von meiner Mama“, sagt Valerie. „Das ist überhaupt kein Problem.“

Sie geht ein paar Schritte zurück, kneift die Augen zusammen und mustert die Schaufensterpuppe kritisch.

Dann geht sie wieder vor und zupft an der Strickjacke, damit man den Polster nicht so sehr sieht.

„Hm“, macht sie und „Naja.“

Noah sagt gar nichts.

Das ist nicht das Denkmal, das er für Frau Hasenohr bauen wollte. Das ist einfach nur eine Schaufensterpuppe mit komischen Sachen, die ihr nicht passen.

„Die Schuhe wären noch wichtig“, sagt Valerie. „Vielleicht diese klobigen roten Schuhe zum Binden, die sie am Wandertag angehabt hat? Die würden gut zur Mütze passen.“

Noah schüttelt den Kopf.

Als würden die Schuhe noch irgendetwas ändern!

„Oder ihre Hausschuhe“, sagt Valerie. „Die sind auch typisch für sie.“

Noah schüttelt wieder den Kopf.

„Ich nehme ihr jetzt sicher nicht auch noch ihre Hausschuhe weg“, sagt er..

Valerie verdreht die Augen.

„Und welche Schuhe willst du dann nehmen?“ ruft sie ungeduldig. „Wir können sie ja schlecht barfuß aufstellen!“

„Vielleicht lassen wir das alles lieber“, sagt Noah. „Es war sowieso keine gute Idee. Sicher will Frau Hasenohr nach dem Fest ihre Brille zurück und wahrscheinlich auch ihre Strickjacke. Und was bleibt dann noch von unserem Denkmal übrig?“

„Hä?“, fragt Valerie und tippt sich an die Stirn. „Wie meinst du das denn wieder? Klar geben wir ihr ihre Sachen zurück, ist doch logisch. Ich muss die Schaufensterpuppe ja auch zurückgeben. Oder hast du gedacht, meine Mama schenkt uns die einfach so?“

„Aber dann ist es doch kein Denkmal!“, sagt Noah. „Ein Denkmal macht man für tausend Jahre! Oder noch mehr!“

„Du spinnst ja“, sagt Valerie. „Wer interessiert sich in tausend Jahren bitte schön für Frau Hasenohr. Kannst du mir das sagen?“

Noah starrt sie an.

Erst jetzt geht ihm auf, wie schlecht die Idee wirklich war.

Valerie hat von Anfang an keine Ahnung gehabt.

Und auch jetzt macht sie nicht den allerkleinsten Versuch zu verstehen, worauf es Noah ankommt.

Hauptsache, sie kann ihre blöde Schaufensterpuppe anziehen! Das ist das einzige, was sie …

„Also was jetzt?“ Valerie stößt Noah an. „Welche Schuhe?“

Noah schluckt und geht zur Seite..

„Gar keine“, sagt er fest „Wir lassen das mit dem Denkmal. Weil es nämlich Frau Hasenohr überhaupt nicht ähnlich sieht. Und weil Frau Hasenohr ein ordentliches Denkmal verdient hat. Und keine Schaufensterpuppe.“

„Pah“, sagt Valerie und stemmt die Arme in die Hüften. „Du hast da gar nichts zu bestimmen! Und ich lass es ganz sicher nicht bleiben, jetzt, wo ich endlich alle Sachen beisammen habe. Du hast einfach keine Phantasie, das ist es!“

Sie funkelt ihn böse an. Man könnte sich fast fürchten vor ihr.

„Ich mache aber nicht mit“, sagt Noah trotzdem.

Valerie schnaubt.

„Na und? Du hast doch bis jetzt auch nichts

gemacht! Dann hau doch gleich ab, du Blödmann, und lauf nach Hause zu deiner Mami! Weißt du, was du bist? Ein jämmerlicher Feigling. War ja klar, dass das mit dir nicht klappt, du lahme Ente, du!“

9. 

Noah macht die Wohnungstür hinter sich zu. Er geht die Stufen hinunter und die Straße entlang. Sein Herz klopft bis zum Hals.

Lahme Ente, klingt es in seinen Ohren. Blödmann! Keine Phantasie. Du jämmerlicher Feigling! Du hast doch bis jetzt auch nichts gemacht, Blödmann. Lauf nach Hause zu deiner Mami! Du lahme Ente, hau doch ab!

Und dann ist da noch eine andere Stimme, die etwas anderes sagt:

Du hättest Frau Hasenohrs Sachen mitnehmen sollen, sagt die Stimme. Wenigstens ihre Brille, die braucht sie doch! Und die Strickjacke. Was hast du dir nur dabei gedacht? Schlimm genug, dass ihr ihr das alles weggenommen habt! Warum hast du das jetzt bei Valerie gelassen, du Blödmann? Du bist wirklich eine lahme Ente. Ein jämmerlicher …

„Noah?“

Noah schaut auf. Vor ihm steht …

Wie heißt sie noch mal, die junge Lehrerin mit den Zöpfchen? Die mit dem großen Hund, den sie irgendwann einmal mit in die Schule …

„Das ist aber gut, dass ich dich treffe!“, sagt sie. „Ich war schon bei euch in der Klasse, aber da war niemand mehr. Es ist aber auch zu dumm, dass ich gerade jetzt für Frau Reiter einspringen muss in der 4c. Da habe ich nicht vor ein Uhr aus und komme nie dazu, mich einmal mit euch zusammenzusetzen.“

Jule heißt sie, jetzt fällt es ihm wieder ein. Jule und wie noch? Und was wollte sie überhaupt in seiner Klasse?

„Es ist wegen dem Abschiedsfest“, sagt Jule. „Für Frau Hasenohr.“

Noah nickt. Schon klar. Außer Frau Hasenohr macht ja niemand ein Abschiedsfest. Niemand geht einfach so mitten im Schuljahr weg von der …

„Habt ihr denn schon ein Abschiedsgeschenk für sie?“

„Ich glaub schon“, sagt Noah.. „Die Eltern sammeln Geld ein.“

„Ach“, sagt Jule. „Und wofür?“

„Für einen Gutschein.“

„Verstehe“, sagt Jule. „Und der Gutschein ist … wofür?“

„Weiß ich auch nicht so genau“, sagt Noah. „Für ein gesundes Wochenende in den Bergen oder so.“

„Oh, wie nett!“ Jule grinst. „Auch wenn ich mir nicht sicher bin, ob ein gesundes Wochenende das ist, was Frau Hasenohr sich in ihrem Innersten wünscht. Ich könnte mir vorstellen, dass ihr eine große Stange Salami lieber wäre!“

Da muss Noah auch grinsen.

„Oder eine Schokoladentorte“, sagt er.

„Oder ein dicker Laib Bergkäse“, sagt Jule.

„Oder ein Jahresabo für die Pizzeria“, sagt Noah.

„Oder ein Genusswochenende“, sagt Jule.

„Oder eine Schlemmerkreuzfahrt“, sagt Noah. „Mit Frühstücksbuffet und Mittagsbuffet und Jausenbuffet ...“

„... und am Abend ein fünfgängiges Menü“, sagt

Jule und lacht. „Ja, das würde ihr alles ganz sicher besser gefallen! Aber so ein Geschenk habe ich gar nicht gemeint. Ich habe an etwas Persönliches gedacht, von euch Kindern für sie. Ein Brief, eine Karte, ein Andenken oder ..."

„Ein Denkmal", sagt Noah, obwohl er das eigentlich gar nicht sagen will. Aber jetzt ist es schon heraußen.

„Ein Denkmal?" Jule nickt andächtig mit großen Augen. „Das ist aber eine schöne Idee!"

„Ja", sagt Noah. „Sehr schön. Aber schwierig."

Er seufzt tief. Und dann erzählt er Jule die ganze Geschichte von Anfang bis Ende. Von den riesigen Steinen und von Valerie und der Schaufensterpuppe und sogar von der Mütze und der Brille und dem Halstuch und der Strickjacke … Alles bis zu dem Augenblick, wo er die Tür hinter sich zugemacht hat. Alles bis jetzt.

Als er fertig ist, macht Jule ein betretenes Gesicht.

„Oje", sagt sie. „Das klingt wirklich übel. Und was jetzt?"

Noah verzieht den Mund.
„Jetzt hab ich gar nichts“, sagt er.
„Aber vielleicht fällt dir ja doch noch was ein?“, fragt Jule. „Für das Denkmal? Irgendein Material, an das du noch nicht gedacht hast? Ich könnte dir helfen!“

Noah schüttelt den Kopf.

„Lieber nicht. Jetzt ist es sowieso zu spät. Es sind ja nur noch zwei Tage ...“

Jule nickt. „Das ist wirklich wenig“, sagt sie und seufzt. „Schade. Dann werden wir wohl doch einfach nur eine große Karte zum Abschied schreiben.“

10.

Und dann ist es auch schon so weit. Frau Hasenohrs letzter Tag ist da.

Noah wacht ausnahmsweise auf, bevor seine Mama ihn weckt.

Er liegt im Bett und schaut an die Decke. An der Decke krabbelt eine Spinne. Was für ein blöder Tag, denkt Noah.

Er dreht sich um und schaut aus dem Fenster. Draußen schneit es in dicken Flocken.

Das auch noch!

Normalerweise mag Noah Schnee gern. Aber heute mag er überhaupt nichts. Schon gar kein Abschiedsfest. Am liebsten würde er gleich wieder schlafen gehen und den Tag einfach auslassen. Aber das geht natürlich nicht.

Auf dem Weg zur Schule stapft Noah missmutig durch den Schnee. Weil er heute so früh aufgestanden ist, ist er viel zu früh dran.

Was willst du denn so früh in der Schule, hat seine Mama ihn gefragt. Es ist doch noch niemand da! Außerdem ist es eiskalt draußen. Du wirst dich verkühlen!

Aber Noah ist trotzdem losgegangen. Jetzt steht er da ganz allein mit hochgezogenen Schultern vor dem verschlossenen Schultor, schaut den Schneeflocken beim Fallen zu und friert.

Was für ein Jammer, das mit dem Denkmal! Diese schöne Idee! Und dann so ein Reinfall. Wenn er doch nur …

„Hallo", sagt Valerie und stellt sich neben ihn.

Sie hat eine apfelgrüne Mütze auf und einen apfelgrünen Schal um und sieht noch ziemlich verschlafen aus.

„Wieso bist du schon da?", fragt sie und gähnt.

Noah sagt gar nichts.

Er schaut sich nach der Schaufensterpuppe um, aber die hat Valerie nicht dabei. Nur einen großen Sack.

Ob da Frau Hasenohrs Sachen drin sind? Ob Valeries Mutter die Schaufensterpuppe in die Schule bringt? Aber wo wollen sie die denn überhaupt aufstellen? Und was …?

„Das mit der Puppe war wirklich nicht so gut“, sagt Valerie. „Sie hat mit Hose und Schuhen auch nicht besser ausgesehen. Eher wie eine Vogelscheuche.“

Noah nickt. Hat er es doch gewusst.

„Ich gebe Frau Hasenohr die Sachen wieder zurück“, sagt Valerie. „Unauffällig. Deswegen bin ich jetzt schon da. Bevor Frau Hasenohr kommt.“

Sie öffnet den Sack ein Stück, damit Noah sehen kann, was drin ist. Auch ihre Handschuhe sind apfelgrün.

„Schade“, sagt Valerie. „Dabei war die Idee so schön. Ein Denkmal für Frau Hasenohr. Das hätte sie sicher gefreut.“

Noah schweigt.

Und wie sich Frau Hasenohr gefreut hätte!

Aber jetzt ist es zu spät. Jetzt wird sie eine große selbstgemalte Karte von allen Kindern bekommen, und ein gesundes Wochenende in den Bergen, über das sie sich womöglich überhaupt nicht freut, und das war‘s dann auch schon.

Arme Frau Hasen...

„Du bist also immer noch sauer“, sagt Valerie und schaut Noah an.

Noah schaut zur Seite.

Klar ist er sauer. Was hat sie denn gedacht?

Valerie seufzt.

„Ach, jetzt komm schon. Es tut mir leid, hab ich das nicht schon gesagt?“

Noah kneift die Augen zusammen. Wie bitte?

Natürlich hat sie das noch nicht gesagt! Das hätte er wohl bemerkt, wenn sie sich bei ihm entschuldigt hätte! Wie kann sie jetzt nur so tun, als ob ...

„Dann sag ich es eben jetzt“, sagt Valerie. „Es tut mir leid. Ich hätte nicht Blödmann zu dir sagen sollen.“

„Stimmt“, sagt Noah. „Und lahme Ente auch nicht.“

„Genau.“

„Und jämmerlicher Feigling auch nicht.“

„Hab ich echt jämmerlicher Feigling gesagt?“ Valerie schüttelt bekümmert den Kopf. Nur ihre Augen lachen ein ganz kleines bisschen.

„Jämmerlicher Feigling ist gemein. Da wäre ich auch sauer. Stinksauer.“

Noah schaut sie an. Das Lachen in ihren Augen wird größer. Eigentlich kann sie doch ganz nett sein.

„Naja“, sagt Noah. „Du hast dich halt geärgert, weil das mit der Puppe nicht geklappt hat.“

„Ja, das mit der Puppe ...“ Valerie beißt sich auf die Lippen. „Schade. Aber mit einem Stein hätten wir das auch nicht hingekriegt. Oder mit Holz. Mit Styropor wäre es vielleicht gegangen. Aber ich weiß wirklich nicht ...“

„Wie wäre es mit Schnee?“, fragt Noah auf einmal und schlägt seine verschneiten Fäustlinge zusammen, dass es nur so staubt.

Valerie runzelt die Stirn.

„Schnee? Aber der hält doch keine tausend Jahre! Der hält wahrscheinlich nicht einmal bis übermorgen!“

„Stimmt“, sagt Noah. „Aber für heute hält er. Und für die nächsten tausend Jahre hab ich auch schon eine Idee.“

„Echt?“ Valerie steigt aufgeregt von einem Fuß auf den anderen. „Dann gebe ich die Sachen also doch nicht zurück?“

„Jedenfalls nicht jetzt sofort“, sagt Noah. „Und jetzt komm, wir haben nicht mehr viel Zeit!“

11.

Das Abschiedsfest wird ein voller Erfolg.

Es gibt Schokotorte und Trüffeltorte und Schwarzwälderkirschtorte.

Es gibt kleine Pizzaschnitten und große Pizzataschen.

Und es gibt jede Menge Popcorn und Chips und Erdnusslocken.

Alle sind gut aufgelegt, die Kinder, die Eltern, Jule und auch Frau Hasenohr, obwohl es ja eigentlich ein trauriger Tag ist.

Aber zum Traurigsein ist später auch noch Zeit, hat Frau Hasenohr in ihrer Abschiedsrede gesagt. Jetzt wird erst mal gefeiert, dass sie es so lang so schön miteinander hatten, ihre Klasse und sie. Und die Erinnerung daran kann einem niemand wegnehmen, egal, was passiert.

„Wir haben da noch etwas für Sie!“, sagt Manuelas Mama gerade und schlägt ein paar

Mal mit einer Gabel gegen ihr Glas.

Kling, kling, kling. Alle hören auf zu reden und hören ihr zu.

„Liebe Frau Hasenohr, wir wollen uns ganz herzlich für all Ihre Mühe und Ihren Einsatz bedanken! Sie waren für unsere Kinder eine wunderbare Lehrerin. Und damit Sie sich jetzt auch wirklich von den Strapazen erholen können, schicken wir Sie für ein Wochenende in die Berge!"

Manuelas Mama überreicht Frau Hasenohr einen großen Blumenstrauß und einen kleinen Umschlag.

Alle anderen Eltern klatschen.

Frau Hasenohr wird ganz rot vor Freude.

Sie macht den Umschlag auf und liest den Gutschein für das gesunde Wochenende.

„Oh, wie nett", sagt sie. „Das wird sicher ganz … wunderbar!"

Noah schaut sich um. Jule steht auf der anderen Seite und grinst ihn an.

Ob sie das wirklich so wunderbar findet?, heißt dieses Grinsen.

Aber was soll Frau Hasenohr auch anderes sagen, wo es doch ein Geschenk ist ...

„Und hier kommt noch ein kleines Andenken an die ganze Klasse“, sagt Manuela und überreicht Frau Hasenohr die Karte, die sie gemeinsam mit Jule gemalt haben.

Frau Hasenohr übernimmt die Karte, bedankt

sich und bewundert sie.

Sie ist ja auch wirklich schön geworden, mit den vielen bunten Blumen und den Sternen und Herzen …

„Und zum Schluss“, sagt Jule, „gibt es noch etwas Besonderes. Etwas, was noch kein Lehrer und keine Lehrerin vor Ihnen bekommen hat!

Dazu müssen wir allerdings in den Hof gehen. Wenn Sie sich also bitte alle kurz ihre Mäntel anziehen ..."

Dann gehen sie alle miteinander den Gang entlang und die Stiegen hinunter.

Frau Hasenohr macht die Hoftür auf.

Ihr Blick fällt sofort auf das Denkmal, das mitten im Hof steht, schneeweiß und kugelrund, mit Ringelmütze und Brille und mit einem breiten Lächeln im Gesicht.

„Das bin ja ich!", ruft Frau Hasenohr, und alle lachen, weil die dicke Schneefrau wirklich ganz genau wie Frau Hasenohr aussieht.

Sie hat sogar ein Salamibrot in der Hand. Das gehört eigentlich Valerie.

„Und damit Sie auch in hundert Jahren noch etwas davon haben", sagt Jule, „werden wir dieses wunderschöne Denkmal auf einem Foto festhalten! Bitte lächeln!"

Und dann macht es klick und noch mal klick und die dicke Schneefrau inmitten der ganzen

Schulklasse ist für die Ewigkeit festgehalten.

Ganz vorne stehen Valerie und Noah und halten ein Schild in der Hand, auf dem steht:

Frau Eleonore Hasenohr,
die beste Lehrerin der Welt!

DIE AUTORIN

SASKIA HULA

Sie wurde 1966 in Wien geboren und unterrichtet hier als Volksschullehrerin. Neben Beiträgen in Anthologien veröffentlicht sie Kinderbücher in verschiedenen Verlagen im deutschsprachigen Raum.

Ihr erstes Buch ist 2003 bei Obelisk erschienen: „Romeo und Juliane“. Ihm folgten 17 weitere Kindererzählungen, zuletzt: „Besetzt“, "Kaninchentage", "Anton, der kleine Pirat", "Eine Herde für Kringelchen", "Attila der König der Angeber", „Mahlzeit, Monster!“, "Vorsicht, Prinzessin!", "Eine Maus kommt groß heraus", "Der Löwe auf dem roten Sofa".

Saskia Hula wurde mehrmals ausgezeichnet, u.a. mit dem Österreichischen Kinderbuchpreis. Sie schreibt humorvoll, witzig und einfühlsam, trifft mit ihrer Sprache den Ton ihrer Leser und mit ihren aktuellen Themen auch deren Anliegen.

DIE ILLUSTRATORIN

SUSANNE GÖHLICH

Susanne Göhlich, geboren 1972 in Jena, begann neben ihrem Studium der Kunstgeschichte in Leipzig zu zeichnen. Dabei ist sie dann auch geblieben.

Sie arbeitet für verschiedene Kinder - und Schulbuchverlage, gestaltet Plakate und illustriert für Magazine.

Susanne Göhlich lebt mit ihrer Familie in Leipzig.